KB197934

더모던 감성클래식 07

엄마 찾아 삼만 리

더모던 감성클래식 07

엄마 찾아 삼만 리

에드몬도 데 아미치스 지음 | 박혜원 옮김

더모더
Themodern

차 례

마르코의 용감한 여행지도 · 8

마르코의 용감한 여행지도

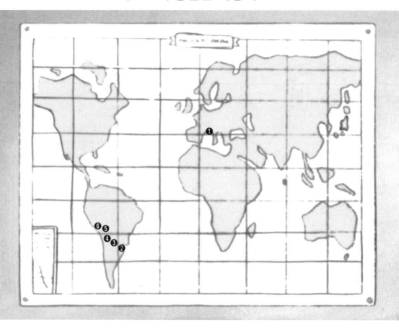

❶ 제노바(Genova) 아메리카 대륙에 도착한 최초의 유럽인 '크리스토퍼 콜럼버스', 그는 제노바 사람이었습니다. 4백 년쯤 후에 홀로 씩씩하게 대서양을 건넌 소년 마르코처럼요! 제노바는 아펜니노산맥(Apennino Mts.)을 등지고 서면 눈앞에 드넓은 바다가 펼쳐져서 모험심이 샘솟는, 이탈리아 최대의 항구 도시예요. 늘 아메리카를 오가는 대형 선박들로 붐볐고, 마르코는 그 중의 한 배를 얻어타고 27일간 항해합니다. 2년 전 남아메리카의 아르헨티나로 건너갔다가 소식이 끊긴 엄마를 찾기 위해서요. 1880년대에 이탈리아는 갓 통일된 신생 국가라서 가난하고 혼란했고, 반면 아르헨티나는 엄청나게 경제가 성장해서 일자리가 많았고 유럽의 이민자들을 적극적으로 환영했답니다. 그래서 마르코의 엄마도 집안 살림을 돕기 위해 일자리를 찾아 아르헨티나로 건너가신 거죠.

❷ 부에노스아이레스(Buenos Aires) 대서양과 맞붙은 라플라타강에 면한 거대한 항구 도시로, 마르코는 이곳에 상륙합니다. 이탈리아와 독일 등지에서 온 유럽인 이민자들과 상인들로 북적였어요. 부에노스아이레스(좋은 공기)는 아르헨티나의 수도로, 사계절 날씨가 온화하고 청명해서 붙은 이름이래요. 아르헨티나(Argentina. 은의 나라)나 라플라타강(Río de la Plata. 은의 강)은, 이곳 항구를 통해서 은을 많이 수출해서 '은'이라는 뜻의 프랑스어(argent)와 스페인어(plata)를 붙였고요.

❸ 로사리오(Rosario) 혁명가 '체 게바라'의 고향으로도 유명한 로사리오는, 아르헨티나 제1의 도시(부에노스아이레스)에서 제2의 도시(코르도바)로 가는 길목에 있어요. 마르코도 코르도바로 가기 위해서 배로 파라나강(Río Paraná)을 거슬러 올라서 사흘 만에 당도합니다. 이때 만나야 할 신사와 길이 엇갈려서 어려움에 처하는데, 이탈리아 이민자 사회의 도움을 받아요. 엄마를 찾아 홀로 이역만리를 헤매는 소년을 모두가 가족처럼, 엄마처럼 보듬고 응원했던 거죠. 이탈리아 이민자들이 많아서 마르코는 다행히 "어디 가든 도와줄 이탈리아 사람들을 만날 수 있었던" 거예요.

❹ **코르도바**(Córdoba) 팜파스 평지가 산지를 만나는 지점이어서, 내륙(안데스 산맥)으로 들어갈 때 거쳐가는 교통의 요지입니다. 또한 아르헨티나 최대의 공업 지대이자 교육 도시이고(코르도바 국립대학) 유네스코 지정 문화유산까지 보유한(예수회 수사들의 격자 모양 도시), 자부심이 대단한 대도시예요. 한밤에 코르도바 거리를 달리던 마르코도 검푸른 하늘을 배경으로 '거대하고 특이한 건축 양식의 교회들'을 보고 깊은 인상을 받지요.

❺ **산티아고델에스테로**(Santiago del Estero) 아르헨티나에서 가장 고도가 높은 도시라고 해요. 코르도바와 투쿠만을 연결하는 위치에 있어서, 대형 상단들이 자주 오가는 길목입니다. 마르코가 그들의 수레를 얻어 탔지요.

❻ **투쿠만**(San Miguel de Tucumán) 안데스산맥(Andes Mts.) 깊숙이 위치해 있으면서, 사탕수수 같은 농작물 경작도 잘되고 천연 광물도 풍부하고 자연 경관도 수려한 곳이라고 해요. 안데스산맥은 '남아메리카의 척추'답게 대륙을 남북으로 길게 잇는 거대한 산맥입니다. 대륙의 원래 주인이던 인디언들이 이곳 산간 지대에 많이 모여 살고 있지요.

사라진 엄마

여러 해 전, 노동자의 아들인 열세 살짜리 제노바 소년이 남미까지 어머니를 찾아 홀로 길을 떠났다.

어머니는 2년 전 아르헨티나의 수도인 부에노스아이레스라는 도시로 떠나 어떤 부잣집에 들어가 일을 해 주고 있었다. 돈을 벌어 하루라도 빨리 안락했던 가정을 되찾기 위해서였다. 가족은 온갖 불운이 겹쳐 가난과 빚에 허덕이고 있었다. 소년의 어머니처럼 집안 형편을 돕고자 긴 항해에 나서는 용감한 여자들이 적지 않았다. 그들은 과연 두둑한 급료를 받아서 몇 년 안에 수천 리라를 벌어 돌아왔다. 가엾은 어머니는 열여덟 살과 열한 살인 두 아이와 헤어져야 한다는 사실에 피눈물을 흘렸지만, 희망을 마음에 품고 용감하게 길을 떠났다.

여행은 순조로웠다. 어머니는 부에노스아이레스에 도착하자마자 이미 오래 전 그곳에 자리를 잡고 장사를 하는 남편의 친척을 통해서 마음씨 좋은 아르헨티나인 가족을 알게 됐다. 그들은 급료도 넉넉히 주는 데다가 어머니에게 친절했다.

어머니는 제노바의 가족에게 편지를 자주 보냈다. 서로 미리 약속한 대로, 아버지가 친척 앞으로 편지를 보내면 친척이 어머니에게 편지를 전달하고, 다시 어머니의 답장을 받아 자기 이야기를 몇 줄 덧붙여 제노바로 부쳐 주었다. 어머니는 한 달에 80리라를 벌었는데, 본인은 한 푼도 쓰지 않고 석 달에 한 번씩 집으로 목돈을 부쳤다. 착실한 남편은 그 돈으로 급한 빚부터 갚아서 차차 신용을 회복했다. 아버지도 그 사이에 열심히 일했고 그런 생활에 불평하지 않았다. 아내가 곧 돌아오리라는 희망이 있었기 때문이다.

하지만 아내가 없는 집은 텅 빈 듯 허전했다. 특히 어머니를 무척이나 사랑하는 막내아들은 큰 슬픔에 젖었고, 어머니가 없는 상황을 몹시 힘겨워했다.

그런데 헤어진 지 1년이 지났을 때, 건강이 좋지 않다는 짧은 편지를 끝으로 어머니로부터 소식이 끊겼다. 친척에게 두 차례 편지를 보냈는데, 친척도 답장이 없었다. 어머니가 일하던 아르헨티나인 가족에게도 직접 편지를 보내 보았다. 하지만 편지는 아마도 제대로 도착하지 않았을 것이다. 주소를 쓸 때 철자를 틀리게 적었기 때문이다. 아르헨티나인 가족에게서도 답장이 오지 않았다.

가족은 나쁜 일이 생긴 게 아닐까 걱정하면서, 부에노스아이레스 주재 이탈리아 영사관에 어머니를 찾아 달라는 편지를 보냈다. 석 달이 지나서야 답신이 왔다. 신문에 광고를 냈지만 어머니라고 나타난 사람도, 어머니의 소식을 알고 있는 사람도 찾을 수 없었다는 내용이었다. 생각해 볼 수 있는 이유는 단 한 가지였다. 가정부로 일하는 게 가족의 이름에 먹칠을 하는 거란 생각에, 어머니가 아르헨티나인 가족에게 진짜 이름을 알려 주지 않은 것이다.

　몇 달이 더 흘렀다. 더 이상 다른 소식은 오지 않았다. 아버지와 아이들은 겁이 났다. 막내아들은 슬픔을 이기지 못해 우울해했다.

　'어떻게 해야 하지? 누구한테 노와달라고 해야 하나?' 아버지가 맨 처음 한 생각은 직접 남미로 건너가서 아내를 찾자는 것이었다. '하지만 일은? 아이들은?'

　그렇다고 큰아들을 보낼 수도 없었다. 큰아들은 이제 막 돈을 벌기 시작해서 가족에게 꼭 필요했다. 이들은 걱정에 잠겨 생활하면서, 날마다 똑같은 이야기를 우울하게 주고받거나 서로를 말없이 응시하기만 했다. 그러던 어느 밤, 막내아들 마르코가 마음을 굳게 먹고 말했다.

　"제가 아르헨티나로 가서 엄마를 찾을래요."

　아빠는 구슬피 고개를 저을 뿐 대답하지 않았다. 생각은 기특했지만 안 될 말이었다. 남미까지 한 달은 걸릴 바닷길을 열세 살짜리가 혼자 가겠다니!

　하지만 아이는 고집을 꺾지 않았다. 그날도, 그다음 날도, 매일같이 아이는 아주 침착하게, 현명한 어른처럼 논

리적으로 자신의 생각을 설명했다.

"다른 사람들도 갔잖아요. 저보다 더 어린 아이들도요. 저도 배만 타면 그들처럼 그곳에 갈 수 있어요. 도착해서 친척 아저씨의 상점만 찾아내면 돼요. 그러면 엄마가 계신 곳노 찾는 거고요. 이달리아 사람들이 많다니까 길을 알려줄 거예요. 혹시 아저씨를 못 만나면 영사관으로 가서 아르헨티나인 가족을 찾아볼게요. 무슨 일이 생긴다 해도 거긴 일거리가 많다니까 제가 할 일을 찾아볼게요. 집에 돌아올 수 있을 정도는 벌 수 있겠죠."

소년은 차츰차츰 아버지를 설득해 갔다. 아버지는 아들에게 탄복했다. 아이는 현명한 판단력과 용기를 지니고 있었고, 고난과 희생도 잘 견뎌냈다. 사랑하는 어머니를 찾겠다는 성스러운 목표 덕분에 이러한 훌륭한 성품들이 소년의 가슴속에서 두 배의 힘을 발휘하리라는 점도 아버지는 잘 알았다. 게다가 지인의 친구인 증기선 선장이 사정을 전해 듣고 아르헨티나 공화국으로 가는 배의 삼등칸 표를 구해 주겠다고 약속했다.

아버지는 한동안 고민했지만 결국 승낙했다.

아르헨티나행 증기선에서 꾼 악몽

항해 날짜가 잡혔다. 가족은 소년의 가방에 옷을 가득 넣고, 주머니에 얼마간의 돈을 넣어준 뒤, 친척집 주소를 건넸다. 어느 화창한 4월 저녁에 소년은 배에 올랐다.

"마르코, 내 아들아."

아버지가 아들을 배웅하며 마지막으로 입맞춤을 했다. 그는 막 출발하려던 참인 증기선 계단에 서서 눈물을 글썽이며 말했다.

"용기를 잃지 마라. 넌 성스러운 여정을 시작하는 거

란다. 하느님이 너를 도우실 게다."

가엾은 마르코! 소년은 마음이 강인했고, 이 여행에서 어떤 역경도 맞이할 준비가 되어 있었다. 하지만 아름다운 제노바가 수평선 너머로 사라지고 너른 지중해로 나가자, 이민 길에 오른 가난한 농부들로 북적대는 증기선 안에 아는 사람 한 명 없이 가방 하나만 전 재산으로 짊어진 제 처지에 돌연 두려움이 밀려왔다.

마르코는 이틀 동안 뱃머리에 강아지마냥 웅크리고 앉아서 먹을 것도 거의 입에 대지 않은 채 눈물이 터져 나오려는 걸 꾹꾹 눌렀다. 온갖 슬픈 생각들이 머릿속을 스쳐 지나갔다. 그중에서도 가장 슬프고 끔찍한 생각 하나가 끈덕지게 맴돌았다.

'엄마가 돌아가셨을지도 몰라.'

고통스럽게 선잠에 들 때마다 한 낯선 얼굴이 나타나 소년을 동정어린 시선으로 훑어보다 귀에 대고 속삭였다.

"네 엄마는 죽었어."

마르코는 소리도 나지 않는 비명을 지르며 잠에서 깨곤 했다.

그래도 지브롤터 해협*을 지나 처음으로 대서양을 마주하자 다시 기운도 조금 났고 희망도 되살아났다. 하지만 그런 기분은 오래가지 못했다. 늘 똑같이 잔잔한 망망대해와 점점 더 뜨거워지는 공기, 배에 오른 가난한 사람들의 슬픔, 혼자라는 생각들이 또다시 마르코를 짓눌렀다. 무료하고 단조로운 날들이 계속되며 마치 병자들이 그러하듯 마르코의 기억도 혼란스럽게 뒤섞였다. 바다 위에서 지낸 시간이 일 년은 된 듯했다. 그리고 매일 아침, 잠에서 깰 때마다 남미로 가는 배를 타고 홀로 막막한 바다 위에 있다는 사실에 소스라치게 놀라곤 했다.

이따금 갑판 위로 예쁜 날치가 떨어졌고, 아름다운 열대의 일몰 속에 화염과 핏빛을 닮은 거대한 구름이 드리웠다. 밤이면 푸른 일광을 뿜는 대양은 넘실거리는 용암의 바다처럼 보였다. 마르코에게는 현실감이 없고, 그저 꿈속에서 펼쳐지는 놀라운 장면들 같았다.

날씨가 좋지 않은 날들도 있었다. 그럴 땐 온갖 것들

---

* 지중해에서 대서양으로 빠져나가는 관문격인 지역. 이베리아 반도(스페인)의 남단과 아프리카 대륙 서북단 사이의 좁은 바다다.

이 굴러다니고 부딪혀 깨지는 선실 안에 꼼짝없이 갇혀서, 한탄하고 저주하는 끔찍한 소리들에 파묻힌 채 죽을 것만 같은 기분에 빠져들었다. 어떤 날들은 바다가 잔잔하고 누르스름한 빛을 띠며 견딜 수 없이 덥고 지루한 시간들이 끝없이 이어지기도 했다. 신설머리 나게 길고 끔찍한 시간들이 지나는 동안, 널판 위에 무기력하게 널브러져 꼼짝 않는 승객들은 모두 죽은 시체처럼 보였다. 뱃길은 가도 가도 끝이 없었다. 바다와 하늘, 하늘과 바다, 어제 같은 오늘, 오늘 같은 내일, 그렇게 한없이 계속됐다.

마르코는 난간에 기대어 끝없는 바다를 넋 놓고 바라보며 엄마를 그리워하다가 스르르 눈이 감기면 고개를 떨구고 잠이 들었다. 그러면 그 낯선 얼굴이 다시 나타나 마르코를 불쌍해 하면서 귓속말을 했다. "네 엄마는 죽었어." 그때마다 아이는 소스라치게 놀라며 깼고, 뜬눈으로 꿈을 꾸며 변함없는 수평선을 바라보았다.

항해는 스무이레 동안이나 이어졌다. 마지막 며칠은 아주 좋았다. 날씨도 화창했고 공기도 선선했다. 롬바르디아에서 온 친절한 할아버지도 알게 되었다. 할아버지는 로

사리오라는 곳에서 농사를 짓는 아들을 찾아 가는 길이었다. 마르코는 할아버지에게 제 이야기를 모두 털어놓았다. 할아버지는 연거푸 마르코의 목덜미를 다독였다.

"애야, 힘내거라. 어머니는 건강하고 행복하게 잘 계실 거야."

할아버지와 함께하는 시간은 마르코에게 위로가 되었다. 슬픈 예감이 즐거운 기대로 바뀌었다. 뱃머리에서 파이프 담배를 피우는 늙은 농부 곁에 앉아서, 별이 총총 빛나는 아름다운 하늘 아래 즐겁게 노래하는 농부들에 둘러싸여 있노라면 머릿속에 부에노스아이레스에 도착한 제 모습이 수백 번도 더 그려졌다. 마르코는 어떤 거리에 서 있고, 상점을 찾아내고, 친척에게 달려가 묻는다. "우리 엄마는 어디 있어요? 같이 가요. 어서요! 빨리 가요!" 두 사람은 함께 뛰고 계단을 올라가 문을 연다.

여기서 마르코의 소리 없는 독백이 멈춘다. 상상이 녹아들 정도로 이루 말할 수 없이 다정한 감정이 차올랐다.. 마르코는 목에 걸고 있던 작은 메달을 가만히 꺼내어 조용히 기도를 읊조리며 입을 맞췄다.

은빛 항구, 부에노스아이레스

배는 제노바를 출발한 지 스물일곱 날이 지나 목적지에 도착했다. 장밋빛으로 물든 오월의 아름다운 아침에 증기선이 라플라타강에 닻을 내렸다. 넓은 강기슭을 따라 아르헨티나 공화국의 수도인 부에노스아이레스라는 거대 도시가 펼쳐져 있었다.

마르코는 눈부신 날씨가 좋은 징조처럼 느껴졌다. 얼마나 기쁘고 초조한지 정신이 혼미할 지경이었다. '엄마가 가까이에 계셔! 몇 시간만 있으면 엄마를 만날 수 있어!' 마르코는 남미라는 새로운 세계에 있었고, 용감하게도 홀로 그곳에 온 것이었다! 길디길었던 여행의 모든 과정이 이제 생각하니 순식간에 지나온 것만 같았다. 꿈속에서 하늘을 날아 와서 지금 막 잠에서 깬 기분이었다. 마르코는 행복했다.

그래서 다른 주머니에 나누어 넣어 둔 귀중품 두 뭉치 중에서 하나가 없어진 걸 알았을 때도 걱정하지 않았다. 물건을 한꺼번에 잃어버리는 일이 없도록 나누어 보관했던 것인데, 도둑맞고 남은 돈은 몇 리라에 불과했다. 하지만 어머니가 가까이에 있는데 그게 무슨 상관인가?

마르코는 한 손에 가방을 들고 다른 이탈리아 사람들 사이에 섞여 갯배에 내렸다. 강가까지 타고 갈 배였다. 갯배에서 다시 '안드레아 도리아'라는 이름의 작은 배로 갈아탔고 마침내 부두에 내렸다. 거기서 마르코는 롬바르디아 할아버지와 작별 인사를 나누고 대도시 속으로 성큼성큼 걸어 들어갔다.

마르코는 첫 번째 거리 입구에서 지나가던 남자를 붙잡고 '로스 아르테스 가'로 가려면 어느 방향으로 가야 하

는지 알려 달라고 부탁했다. 마침 남자는 이탈리아인 노동자였다. 남자는 호기심 어린 얼굴로 마르코를 쳐다보다가 글을 읽을 줄 아느냐고 물었다.

"네."

마르코는 고개를 끄덕였다. 노동자는 자기가 왔던 길을 가리키며 말했다.

"그럼 저리로 곧장 가면서 모퉁이마다 붙어 있는 거리 이름을 읽어 봐라. 네가 찾는 거리가 보일 거야."

마르코는 고맙다고 인사하고 곧장 남자가 가리킨 길로 들어섰다.

길은 곧고 무척 길었지만 좁았다. 거리를 따라 시골집처럼 보이는 야트막한 흰 집들이 늘어서 있고, 길가에는 사람들과 사륜마차와 우마차들이 북적거려 귀가 먹먹할 정도로 시끄러웠다. 여기저기 색색깔의 거대한 현수막들이 펄럭였는데, 제각각 이름 모를 도시들로 향하는 증기선의 출항을 큼지막한 글씨로 알리는 것들이었다. 몇 걸음만 옮겨도 거리 양옆으로 곧게 뻗은 또 다른 거리들이 보였다. 그 거리에도 낮고 하얀 집들이 길게 늘어서 있고 사람들이 가득했다. 그 끝에 남미의 평원 '팜파스[*]'가 바다의 수평선처럼 무한히 펼쳐져 보였다. 도시는 끝이 없는 것 같았다. 몇 날 며칠, 몇 주를 걸어 다녀도 이렇게 생긴 거리들이 계속 보일 것 같았고, 남미 전체가 이런 길들로 뒤덮여 있을 것만 같았다.

마르코는 모퉁이에서 표지판을 유심히 살폈다. 낯선 이름들이라서 한눈에 읽기가 어려웠다. 새로운 거리가 나타날 때마다 자기가 찾는 길 같아서 가슴이 뛰었다. 또 엄마와 마주칠지도 모른다는 생각에 모든 여자들도 살펴보았다. 앞에 가는 여자를 보고 심장이 덜컥 내려앉았다. 마르코는 여자를 앞질러 가서 쳐다보았다. 여자는 흑인이었다. 아이는 다시 걸음을 재촉하며 걸었다.

소년이 한 교차로 표지판 앞에 못 박힌 듯 멈춰 섰다.

'로스 아르테스 가.'

얼른 그리로 꺾어 들었다. 117번지라는 주소가 보였다. 친척의 상점은 175번지였다. 마르코의 걸음이 거의 뜀

[*] 인디언어로 '평평하고 넓은 땅'의 뜻. 매우 비옥하고 넓어서, 가우초(목동)들이 소들을 방목하고 농부들이 농작물을 재배하여 큰 소득을 올렸다.

박질처럼 빨라졌다. 결국 171번지 앞에서 잠시 멈춰 서서 숨을 골라야 했다.

"엄마! 우리 엄마! 이제 정말로 곧 엄마를 만나요!"

마르코는 계속 달렸다. 도착한 곳은 작은 수예점이었다. 찾던 곳이었다. 마르코는 상점으로 들어갔다. 머리가 희끗하고 안경을 쓴 여자가 보였다.

"왜 그러니, 얘야?"

여자가 스페인 말로 물었다. 마르코가 숨을 고르며 힘겹게 목소리를 냈다.

"여기가 프란체스코 메렐리 씨의 가게인가요?"

여자가 이탈리아 말로 대답했다.

"프란체스코 메렐리는 죽었단다."

마르코는 가슴을 한 대 얻어맞은 듯했다.

"언제요?"

"음, 꽤 됐지. 몇 달 전이었어. 상황이 좋지 않았는지 도망치듯 떠났어. 바이아블랑카로 갔다고들 하던데, 여기서 아주 먼 곳이야. 거기 도착하자마자 죽었다더구나. 이 상점은 내 것이란다."

마르코는 얼굴이 창백해졌다. 그러다가 얼른 말했다.

"메렐리 아저씨가 엄마를 아셨는데…… 우리 엄마는 메쿠네스 씨 댁에서 일했거든요. 엄마가 어디 계신지 알려 줄 사람은 메렐리 아저씨밖에 없어요. 전 엄마를 찾으려고 이탈리아에서 왔고요. 아저씨가 엄마한테 우리 편지를 전해줬거든요. 전 엄마를 찾아야 해요."

"가엾어라! 나는 모른단다. 가만, 뜰에 있는 아이에게 물어보면 되겠구나. 그 애가 메렐리 씨 심부름을 하던 청년을 알거든. 그 애라면 아는 게 있을 거야."

여자가 상점 안쪽으로 들어가 부르자 사내아이가 곧장 달려왔다.

"메렐리 씨네서 일하던 청년 기억하니? 이 근처 어떤 집에서 일하던 여자한테 가끔 편지를 전해 주었다는데."

"메쿠네스 씨 댁 말씀이시군요. 네, 마님. 가끔 편지를 가져다 주셨어요. 로스 아르테스 가 끝에 있는 집이요."

"아! 고맙습니다, 아주머니! 몇 번지인지 알려 주세요. 모르세요? 그럼 저를 데려다주세요. 네가 나랑 같이 가자. 얼른. 나한테 아직 돈이 조금 있어."

마르코가 어찌나 흥분해서 소리쳤던지, 사내아이는
주인 여자가 시키기도 전에 "가자"라고 대답한 뒤 빠른 걸
음으로 곧장 상점을 나섰다.

두 소년은 말 한 마디 없이 달리다시피 하여 길고 긴
거리 끝까지 달려가, 하얀 집의 입구와 이어지는 좁은 길
로 들어가다가 멋진 철문 앞에 멈춰 섰다. 철문 너머로 꽃
화분이 가득 놓인 작은 마당이 보였다.

마르코가 초인종 줄을 잡아당겼다. 젊은 여자가 나타

났다. 사내아이의 표정에 불안한 기색이 스쳤다.

"여기가 메퀴네스 씨 댁 맞죠?"

그녀가 스페인식 발음의 이탈리아어로 대답했다.

"메퀴네스 씨네 집이었지. 지금은 우리가 살고 있으니세바요스 가족의 집이야."

마르코의 심장이 쿵쾅거렸다. 아이가 다급히 물었다.

"그럼 메퀴네스 씨 댁은 어디로 갔나요?"

"코르도바로 갔어."

"코르도바!"

마르코가 저도 모르게 절규하듯 소리쳤다.

"코르도바가 어디예요? 그럼 그 집에서 일하던 분은요? 우리 엄마요! 그 가정부가 우리 엄마예요! 우리 엄마도 같이 갔나요?"

그녀는 마르코를 물끄러미 내려다보며 말했다.

"나는 몰라. 아마 아버지가 아실 거야. 그 사람들이 떠날 때 아버지가 인사를 나누셨으니까. 잠깐 기다려 봐."

여자는 뛰어 들어갔다가 곧 아버지와 함께 나왔다. 키가 크고 턱수염이 희끗하게 난 신사였다. 그는 금발머리에 매부리코를 가진 작은 얼굴의 어린 제노바인 여행객을 골 똘히 쳐다보다가 서툰 이탈리아어로 물었다.

"네 어머니가 제노바 사람이니?"

"네, 맞아요!"

"그렇다면 제노바 출신 가정부가 함께 갔단다. 그건 내가 확실히 안다."

"어디로 갔나요?"

"코르도바라는 도시야."

마르코는 체념하듯 한숨을 푹 내쉬며 말했다.

"아, 그럼 코르도바로 가야죠."

"저런, 딱하구나! 여기서 코르도바까지는 수백 킬로 미터 거리란다."

마르코가 얼굴이 새하얗게 질리며 한 손으로 철문을 붙잡았다. 세바요스 씨는 깜짝 놀라서 문을 열며 달랬다.

"이런, 꼬마야, 왜 그러니? 괜찮니? 잠깐 들어오너라."

신사는 마르코에게 자리를 내주고 자신도 앉았다. 마르코는 울음이 터질 것 같았지만 꾹 참고서 차근차근 자초지종을 이야기했다. 신사는 그 모습을 측은하게 바라보며

가만히 귀 기울여 들었다. 다 듣더니 잠시 생각에 잠겼다
가 불쑥 이렇게 말했다.

"너 가진 돈은 없지?"

마르코가 머뭇거리며 대답했다.

"아직 있어요. 조금요."

신사는 5분 남짓 뭔가를 곰곰이 생각하더니, 책상에
앉아 편지를 한 장 써서 봉한 다음 마르코에게 건넸다.

"이탈리아 꼬마야, 네 이름이 뭐라고 했지?

"마르코예요."

"얘야, 마르코야, 내 말 잘 들어라. 이 편지를 가지고 라 보카로 가거라. 라 보카는 제노바의 절반 정도 크기의 작은 도시인데 여기서 두 시간쯤 가면 있단다. 가는 길은 아무한테나 물어도 다 알 거야. 거기 가서 이 편지에 적힌 신사를 찾아 가거라. 그를 모르는 사람은 없을 게나. 그 신사에게 이 편지를 전하렴. 그러면 그가 내일 너를 로사리오로 보내 주고, 그곳에서 널 도와줄 사람도 소개해 줄 거야. 그 사람이 네가 코르도바까지 갈 방법을 찾아주도록 말이다. 그러면 메퀴네스 가족과 네 어머니를 만날 수 있겠지. 그리고 자, 이거 받으렴."

신사는 마르코의 손에 몇 리라를 쥐여 주었다.

"가거라. 용기 잃지 말고. 어디로 가든 고향 사람들을 만날 수 있을 테니 넌 혼자가 아니란다. 잘 가거라!"

"고맙습니다."

그 말 말고는 달리 마음을 표할 길이 없었다. 마르코는 가방을 들고 나와 길을 안내해 주었던 사내아이와도 헤어진 뒤, 슬픔과 놀라움에 휩싸인 채 시끄러운 대도시를 가로질러 라 보카를 향해 천천히 걸어가기 시작했다.

로사리오에서 찾은
'이탈리아의 별'

　　　 그 순간부터 그날 저녁까지 일어난 모든 일들은 그 후로도 내내 마르코의 기억 속에 열병이 불러온 환상처럼 혼란스럽고 불확실한 형태로 아른거렸다. 그만큼 지치고 불안하고 낙담해 있던 탓이었다.

　마르코는 라 보카에 도착해서 허름한 방에서 부두 짐꾼과 함께 하룻밤을 묵고, 이튿날 몽롱한 정신으로 목재 더미 위에 앉아 수천 척의 크고 작은 배와 예인선들을 쳐다보며 거의 하루 종일을 보낸 끝에야, 해 질 녘에 과일을 실은 커다란 범선 뒤쪽에 올라탈 수 있었다. 로사리오로 떠나는 배였는데, 배를 조종하는 사람은 햇볕에 검게 그을린 세 명의 건장한 제노바인이었다. 그들이 내뱉는 사투리와 목소리가 마르코의 마음에 조금은 위로가 되었다.

항해는 사흘 낮 나흘 밤 동안 이어졌다. 어린 마르코에게 여행은 놀라움의 연속이었다. 경이로운 파라나강을 밤낮을 꽉 채운 사흘간 거슬러 오르면서, 고향의 포 강이 개울에 지나지 않았던 듯 느껴졌다. 이탈리아를 네 배로 늘려도 파라나강의 길이에 미치지 못했다. 범선은 가늠할 수 없이 거대한 강물을 유유히 떠갔다. 한때 뱀과 호랑이가 출몰했던 긴 섬들을 꿰며 지나갔다. 섬들은 오렌지나무와 버드나무로 뒤덮여 마치 떠다니는 숲처럼 보였다. 도저히 빠져나갈 수 없어 보이는 좁은 수로를 지나자 거대하고 고요한 호수처럼 드넓은 강물이 나왔고, 그러다가 다시 군도를 만나 섬들 사이로 복잡한 물길을 따라 어마어마한 초목을 뚫고 나아갔다.

묵중한 정적이 계속됐다. 길게 이어지는 강기슭과 광대하고 외로운 강물을 따라가다 보니 미지의 강을 건너는 듯한 느낌이 들었다. 한 번도 사람의 손길이 미치지 않은 미지의 물길 같았다. 범선은 그 강을 세계 최초로 탐험하듯이 천천히 나아갔다. 더 깊이 들어갈수록 마르코는 이 거대한 강에 좌절했다. 엄마가 강이 시작되는 저 끝에 있는데, 이 항해가 몇 년은 걸릴 것만 같았던 것이다.

마르코는 선원늘과 함께 하두에 두 번 작은 빵 한 조각과 소금으로 간한 고기를 먹었다. 선원들은 마르코가 슬픔에 빠져 있는 걸 알고 한 마디도 건네지 않았다. 밤에는 갑판 위에서 잠을 잤는데, 드넓은 강물과 저 멀리 강기슭을 은은하게 비추는 맑은 달빛에 화들짝 놀라며 깨곤 했다. 그럴 때면 심장이 가라앉는 느낌이었다.

"코르도바!"

마르코는 그 이름을 거듭 불러댔다.

"코르도바!"

동화 속의 신비한 도시 이름 같았다. 그러다가 이런 생각이 스쳤다.

"엄마도 이곳을 지나갔겠지. 이 섬들하고 강기슭을 보셨겠지."

엄마의 눈길이 닿았다고 생각하자, 그 장소들이 더는

낯설고 외롭게 느껴지지 않았다.

밤이 되자 선원들이 돌아가며 노래를 불렀다. 마르코
는 어린 시절 자장가를 불러 주던 엄마의 노랫소리들이 떠
올랐다. 마지막 날 밤에는 그 노래를 듣다가 흑흑 울음이
터져나왔다. 선원이 노래를 멈추더니 소리쳤다.

"힘내라. 용기를 가져, 얘야! 맙소사! 제노바 사람이
집을 떠나왔다고 울다니! 제노바인은 명예롭고 당당하게
세계를 누빈단다!"

그 말에 마르코는 마음을 다잡았다. 진정한 제노바인
의 목소리를 들은 마르코는 뿌듯한 마음으로 고개를 높이
들고 주먹으로 키를 두드리며 스스로 다짐했다.

"그래, 맞아. 몇 년이고 전 세계를 돌고 맨발로 수백 킬로미터를 걸어야 할지라도, 엄마를 찾을 때까지 계속 갈 거야. 목숨이 다할 때까지 찾다가 엄마 발치에 쓰러져 죽는 한이 있어도! 한 번만 더 엄마를 만날 수 있다면! 용기를 내자!"

장밋빛으로 물든 서늘한 새벽녘, 마르코는 이런 마음으로 파라나강의 높은 강둑 위에 자리한 로사리오에 도착했다. 범선 백여 척이 세계 각국의 깃발을 달고 물결 위에 그림자를 드리우고 있었다.

배에서 내리자마자 마르코는 한 손에 가방을 들고 얼른 로사리오 시내로 들어갔다. 라 보카의 신사가 짤막한 부탁의 글을 적어 명함과 함께 건네주며 소개한 사람을 찾아야 했다.

눈에 들어오는 로사리오 시내의 풍경에 마르코는 어리둥절했다. 곧고 길게 이어진 거리에 낮고 하얀 집들이 줄지어 서 있었고, 지붕 위로 거대한 거미줄처럼 보이는 전신줄과 전화선들이 사방으로 뒤얽혀 뻗은 모양이었다.

거리는 사람과 말과 마차로 채워져 혼잡했다. 너무나 익숙한 모습! 다시 부에노스아이레스에 내린 듯했고, 또다시 친척 아저씨의 집을 찾아가는 기분이었다. 마르코는 한 시간 가까이 이쪽저쪽 길을 찾으며 거리를 헤맸는데, 번번이 같은 거리로 되돌아오는 느낌이었다.

마침내 사람들에게 물어물어 찾던 주소지에 도착했다. 마르코가 초인종 줄을 힘껏 당겼다. 덩치 크고 무뚝뚝해 보이는 금발머리 남자가 나왔다. 집사처럼 보이는 남자는 외국인 같은 말씨로 귀찮다는 듯 물었다.

"무슨 일이지?"

마르코가 주인의 이름을 말했다. 집사가 대답했다.

"주인님은 안 계셔. 어제 오후에 가족과 함께 부에노스아이레스로 떠나셨다."

마르코는 말문이 막혀서 간신히 더듬더듬 말했다.

"하지만 전…… 저는 여기 아는 사람이 없어요! 혼자란 말이에요!"

마르코가 명함을 건넸다. 집사는 명함을 받아 읽어 보고는 퉁명스럽게 말했다.

"난 해 줄 수 있는 게 없어. 이건 한 달 뒤에 주인님이 돌아오시면 전하마."

"하지만 전 혼자라고요. 도움이 필요해요!"

마르코가 사정했다. 하지만 집사의 눈길은 차가웠다.

"뭐야? 참내, 로사리오엔 니 같은 이틸리아인들이 차고 넘친단 말이다! 꺼져. 구걸은 네 나라에나 가서 해!"

집사는 마르코의 코앞에서 문을 쾅 닫았다.

마르코는 한동안 그 자리에 돌처럼 굳은 채 서 있었다. 그러다가 천천히 가방을 집어 들고 그곳을 나왔다. 마음이 찢어질 듯 괴롭고 어수선했다. 수천 가지 불안한 생각들이 한꺼번에 몰려들었다.

'어떻게 하지? 어디로 가지?'

로사리오에서 코르도바까지는 기차를 타면 하루 거리였다. 하지만 수중에 남은 돈은 몇 리라에 불과했다. 그날 쓸 돈을 빼면 거의 남지 않았다.

'기차표 살 돈을 어디서 구하지? 일을 할 수는 있지만, 어떻게? 누구에게 일자리를 달라고 하지? 구걸을 할까? 아, 안 돼! 조금 전처럼 거절당하는 건 창피하고 싫어. 절

대, 절대로 다신 안 돼!'

마르코는 생각을 떨쳐내듯 눈을 질끈 감고 고개를 가로저었다. 그러나 다시 눈을 떴을 때, 길게 뻗은 거리 끝에 팜파스가 끝없이 펼쳐진 광경이 눈에 들어오자 용기가 다 사라져 버렸다. 할 수 있는 게 아무것도 없었다. 마르코는 가방을 바닥에 내팽개치고 벽에 등을 기대고 앉아 두 손에 얼굴을 파묻었다. 절망한 사람의 몸짓이었다.

행인들이 발길질로 거칠게 마르코를 밀쳤다. 마차들이 오가는 소리가 요란하게 거리를 울렸다. 남자아이들 몇몇이 걸음을 멈추고 마르코를 구경했다. 그래도 마르코는 꼼짝도 하지 않았다.

그때 롬바르디아 사투리가 섞인 이탈리아 말이 들려왔다.

"무슨 일이니, 꼬마야?"

마르코는 깜짝 놀라서 고개를 들었고, 곧 벌떡 일어서며 탄성을 질렀다.

"할아버지!"

함께 대서양을 건너며 여행친구가 된 롬바르디아 출신의 농부 할아버지였다. 할아버지도 마르코 못지않게 놀랐지만, 마르코는 할아버지가 뭘 물을 새도 없이 급히 그간의 일을 털어놓았다.

"이젠 논이 하나도 없어요. 선 일을 해야 해요. 세세 일을 찾아 주세요. 몇 리라라도 모을 수 있도록요. 무슨 일이든 할게요. 물건도 나르고 거리 청소도 할게요. 심부름도 잘할 수 있어요. 시골에서 일해도 좋아요. 검은 빵만 먹고

살아도 상관없어요. 빨리 떠날 수만 있다면, 엄마를 찾을
수만 있다면요. 할아버지, 부탁드려요. 일할 곳을 찾아 주
세요. 일을 구해 주세요. 제발, 전 더 이상 할 수 있는 게 없
어요!"

"이런! 이런!"

할아버지가 마르코를 이리저리 살펴보고는 턱을 긁적
였다.

"이게 무슨 소리냐! 일이라, 일이라! 말이야 쉽다만.
어디 한번 보자. 우리 동포가 이렇게 많은데 30리라를 마
련할 방법이 없을까?"

마르코가 할아버지를 바라보며 한 줄기 희망의 빛에
안도했다.

"얘야, 얼른 일어나렴. 나와 같이 가자."

"어디로요?"

마르코가 다시 가방을 그러잡으며 물었다.

"같이 가자."

할아버지가 걷기 시작했다. 마르코는 할아버지를 따
라갔다. 두 사람은 긴 거리를 건너는 동안 서로 아무 말도

하지 않았다.

할아버지는 별 그림 아래 '이탈리아의 별'이라고 적힌 여인숙 간판 앞에서 멈춰 섰다. 그러고는 얼굴을 들이밀고 안을 살피더니 마르코를 돌아보며 활기차게 말했다.

"우리가 시간을 딱 맞춰 왔구나."

두 사람은 커다란 방에 들어갔다. 탁자가 여러 개 놓여 있고, 많은 사람들이 앉아 술을 마시며 시끌벅적하게 떠들고 있었다. 할아버지가 제일 가까운 탁자로 다가갔다. 둘러앉은 여섯 명과 인사하는 태도로 보아 조금 전까지 그 자리에 같이 앉아 있었던 게 분명했다. 얼굴이 벌겋게 달아오른 사람들은 술잔을 쨍그랑거리며 목청 높여 떠들고 웃어댔다.

"친구들."

할아버지가 앉지도 않고 선 채로 마르코를 소개했다.

"이 가여운 소년은 우리 동포일세. 홀로 제노바에서 부에노스아이레스까지 어머니를 찾아왔다네. 그런데 부에노스아이레스에서 '네 어머니는 여기 없다, 코르도바로 떠났다'고 했다는군. 그래서 범선을 타고 로사리오까

지, 사흘 밤낮을 꼬박 걸려서 여기로 왔다네. 소개글만 두 세 줄 받아서 말일세. 그 글을 보여줬는데 그곳 사람이 아이를 푸대접한 듯해. 이 애는 지금 한 푼도 없이 여기서 혼자 절망에 빠져 있다네. 속이 꽉 찬 아이야. 우리가 조금만 생각해 보세. 어머니를 찾아 코르도바까지 갈 기차표를 살 돈만 있으면 되지 않겠나? 이 아이를 버려진 개처럼 여기 내버려 둬야겠나?"

"안 될 말이지, 절대! 그렇게 둘 순 없어!"

모두가 입을 모아 외치며 주먹으로 탁자를 두드렸다.

"우리 동포! 이리 와라, 꼬마야! 우린 모두 이탈리아에

서 이민 온 사람들이야!"

"고 녀석, 참 잘생겼군! 다들 조금씩 보태자고, 친구
들!"

"장하다! 혼자서 오다니! 배짱 좀 보게!

"한 모금 마셔라, 동포!"

"우리가 어머니한테 보내줄 테니, 아무 걱정 말라고!"

어떤 사람이 마르코의 볼을 꼬집었고, 또 어떤 사람은
찰싹 소리가 나도록 어깨를 두드렸다. 가방을 받아주는 사
람도 있었다. 다른 탁자에 앉아 있던 이민자들도 모여들었
다. 마르코의 이야기가 방 안을 돌았다. 옆방의 아르헨티
나인 손님 세 명도 달려왔다. 롬바르디아 할아버지가 모자
를 돌리자 10분도 되지 않아서 42리라가 모였다.

할아버지가 마르코에게 돌아서며 말했다.

"알겠니? 아르헨티나에서는 이렇게 순식간에 문제가
해결된단다."

누군가 마르코에게 포도주잔을 건네주면서 이렇게 소
리쳤다.

"마시자! 네 어머니의 건강을 위하여!"

모두가 잔을 들어 올리자 마르코도 따라서 말했다.

"우리 엄마의 건강을⋯⋯."

하지만 기쁨의 눈물이 터져 나오며 목이 멨다. 마르코
는 잔을 탁자에 내려놓고 할아버지에게 달려들어 목을 껴
안고 맘껏 흐느꼈다.

이튿날 아침 동틀 녘에 마르코는 코르도바로 출발했
다. 행복한 예감이 가득 차올라 기운이 넘치고 웃음도 나
왔다.

수상한 삼인조

하지만 행복은 자연이 드러내는 불길한 모습 앞에 오래가지 못했다. 날씨가 잔뜩 흐리고 후텁지근했다. 텅텅 빈 기차는 사람 사는 흔적이라곤 찾아보기 힘든 광대한 평원을 가로질러 달렸다. 기다란 객차 안은 마치 부상자들을 실어 나르는 용도처럼 생겼는데, 거기에 승객이라곤 마르코뿐이었다. 오른쪽을 보아도 왼쪽을 보아도 끝없이 쓸쓸한 풍경뿐이었다. 여기저기 흩어져 자라고 있는 작은 나무들은 줄기와 가지가 한 번도 본 적 없는 모양으로 뒤틀리고 휘어져서 마치 고통과 분노에 차 있는 것 같았다. 드문드문 초목들이 처량하게 흩어져 있는 모습은 폐허가 된 묘지에 가까워 보였다.

마르코는 30분 정도 깜박 졸았다가 깨어나 다시 창밖을 내다보았다. 여전히 같은 풍경이었다. 철도역은 인적 없는 은둔자의 집 같았다. 기차가 멈추면 고요한 정적만 흘렀다. 길 잃은 기차에 혼자 탄 채 사막 한가운데 버려진 기분이었다. 기차가 정차할 때마다, 그 역을 마지막으로 막막한 원시의 땅으로 들어갈 것만 같았다. 얼음장 같은 바람이 얼굴을 할퀴었다. 제노바에서 증기선에 오를 때는 4월 말엽이었기에, 남미에서 겨울을 맞으리라고는 생각도 하지 못해서 옷도 여름옷뿐이었다.

몇 시간이 흐르자 추위가 밀려들었다. 추위와 함께, 지난 며칠간 격한 감정과 불안으로 밤에 잠들지 못해서 쌓였던 피로도 몰려왔다. 마르코는 긴 잠에 빠져들었다가 꽁꽁 언 몸으로 깨어났다. 몸이 아팠다. 갑자기 이 여행길에 병에 걸려 죽을 것 같은 막연한 공포가 엄습했다. 황량한 대초원에 버려져 들개와 새의 먹이가 되어 몸이 갈기갈기 찢기게 될까 두려웠다. 철도 옆으로 이따금 보일 때마다 진

저리를 치며 눈길을 피했던 말과 소의 사체처럼. 걱정스레 몸은 아프고 자연은 음울한 침묵만 흘리는 길에서 마르코의 상상은 점점 더 들썩이며 불길해져 갔다.

'코르도바에 가면 정말로 엄마를 찾을 수 있을까? 엄마가 코르도바에 가지 않았다면? 세바요스 씨가 잘못 알았던 거라면? 가만, 만약 엄마가 돌아가셨다면?'

그런 생각들에 시달리다가 다시 잠이 든 마르코는 꿈에서 코르도바에 도착했다. 한밤중이었는데 사방에서 대문과 창문 너머로 외치는 소리가 들렸다.

"엄마는 여기 없어! 엄마는 여기 없어! 엄마는 여기 없어!"

마르코는 깜짝 놀라서 겁에 질린 채 잠에서 깼다. 객차 맞은편 끝에서 턱수염을 기르고 갖가지 색깔의 판초를 몸에 두른 남자 셋이 자신을 빤히 쳐다보며 자기들끼리 뭔가를 소곤대는 모습이 눈에 들어왔다. 세 남자가 살인자일지 모른다는 의심이 번쩍 들었다. 자신을 죽이고 가방을 빼앗아 갈 것만 같았다. 춥고 불안하고 몸이 아프다 보니 터무니없는 두려움까지 자라났다. 생각이 제멋대로 날뛰

며 점점 더 일그러졌다. 세 남자는 계속 마르코를 쳐다보고 있었다.

그런데 갑자기 한 명이 벌떡 일어서더니 마르코 쪽을 향해 걸어오기 시작했다. 마르코는 그만 이성을 잃고 두 팔을 벌린 채 남자에게 달려들며 비명처럼 악을 썼다.

"난 아무것도 없어요. 난 가난한 아이예요. 이탈리아에서 왔다고요. 엄마를 찾으려고요. 난 혼자예요. 해치지 마세요!"

세 남자는 그 즉시 무슨 상황인지 알아차렸다. 남자들은 마르코를 가엾게 여겨서 많은 이야기를 해 주며 다독이고 달랬는데, 마르코는 잘 들리지도 않았고 알아듣지도 못했다. 마르코가 이를 달달 떠는 것을 보고 남자들은 판초 하나를 마르코에게 둘러주고 자리에 앉혔다. 덕분에 마르코는 다시 잠에 빠져들었다. 땅거미가 질 무렵이었다. 남자들이 마르코를 깨운 건 꼬박 하루가 지나서 코르도바역에 도착했을 때였다.

아, 얼마나 깊은 숨을 내쉬었는지, 얼마나 급하게 객차

에서 뛰어내렸는지 모른다! 마르코는 역무원을 붙잡고 기술자 메퀴네스 씨의 집이 어디인지 물었다. 역무원은 어떤 교회 이름을 대며, 그 옆이라고 알려 주었다. 마르코는 서둘러 역을 나섰다.

한밤이었다. 도시로 들어가니 이번에도 로사리오로 돌아간 느낌이었다. 곧게 뻗은 거리에 줄지어 늘어선 아담한 하얀 집들, 여기저기서 만났다 갈라지는 또 다른 길고 곧은 거리들까지. 그러나 사람은 거의 보이지 않았고, 드문드문 서 있는 가로등 불빛 때문에 사람들의 얼굴이 검은색과 녹색 중간의 이상한 색깔로 보였다. 가끔 고개를 들면 하늘을 배경으로 거대한 검은 윤곽을 드러내는 특이한 건축 양식의 교회들이 눈에 띄었다. 도시는 어둡고 조용했지만 거대한 사막을 가로질러 온 마르코에겐 생기 넘쳐 보였다.

한 신부님에게 물어 교회와 집을 금방 찾아낸 마르코는 떨리는 손으로 초인종 줄을 당기고, 다른 손은 가슴을 눌러 튀어나올 듯 요동치는 심장을 진정시켰다.

할머니가 손에 등불을 들고 문을 열러 나왔다.

마르코는 입이 떨어지지 않았다.

할머니가 스페인 말로 물었다.

"누구를 찾아왔니?"

"메퀴네스 기사님이요."

할머니는 팔짱을 끼고 고개를 저으며 대답했다.

"너도 메퀴네스 기사를 찾아왔구나. 이제 끝날 때도 됐는데. 지난 석 달 동안 이 문제로 걱정이었지. 신문 광고 만으로는 부족한 거야. 메퀴네스 씨는 투쿠만으로 이사 갔다고 거리에 구석구석마다 붙여 놔야할지, 원!"

마르코가 절망해서 저도 모르게 어깨가 축 처졌다. 그 랬다가 갑자기 울음을 터뜨렸다.

"안 돼! 난 엄마도 찾지 못하고 길에서 쓰러져 죽을 거야! 미칠 것 같아! 엄마가 너무 보고 싶어! 아, 거기 이름이 뭐라고요? 그게 어딘가요? 여기서 얼마나 먼가요?"

할머니가 안타까워했다.

"이런, 가여워라. 불쌍한 것! 거기까지 적어도 육칠백 킬로미터는 될 게다."

마르코는 얼굴을 두 손에 묻고 흑흑 흐느껴 울었다.

"아, 저는 이제 어떻게 해야 하죠?"

"가엾게도, 뭐라고 해야 하나? 나도 모르겠구나."

붉은 모래바람에
갇힌 마르코

할머니는 가여운 마르코를 안타깝게 바라보다가, 문득 한 가지 방법이 떠올랐다.

"아, 그래, 그렇게 하면 되겠구나! 애야, 들어 보렴. 이 거리를 따라서 오른쪽으로 내려가다 보면, 세 번째 집의 안마당에 '카파타스'가 있을 거야. 상인인데, 내일 마차와 황소를 끌고 투쿠만으로 떠날 거란다. 가서 일을 할 테니 데려가 달라고 부탁해 보렴. 아마 마차에 태워줄 게야. 자, 얼른 가 보거라."

"고맙습니다, 할머니!"

마르코는 말이 끝나기도 전에 이미 가방을 움켜잡고 달리기 시작했다. 곧 등을 환하게 밝힌 넓은 마당에 들어섰다. 많은 남자들이 어마어마하게 큰 마차에 곡물 포대를 싣고 있었다. 곡예사들의 이동식 집처럼 생긴 마차는 지붕이 둥글고 바퀴가 커다랬다. 콧수염을 기른 키 큰 남자가 흰색과 검은색 체크무늬 판초를 입고 장화를 신은 차림으로 작업을 지휘하고 있었다. 마르코는 그 남자에게 다가가, 자신이 이탈리아에서 왔으며 엄마를 찾고 있다고 설명하고는, 투쿠만까지 태워 달라고 주뼛주뼛 부탁했다.

'카파타스'는 감독(수송 마차들을 지휘하는 총감독)을 부르는 말이었다. 그는 마르코를 위아래로 날카롭게 훑어보더니 냉담하게 대답했다.

"자리가 없다."

마르코가 애원했다.

"제발요! 저한테 15리라가 있어요. 그걸 전부 다 드릴게요. 가는 동안 일도 할게요. 물도 긷고 가축들 여물도 먹일게요. 무슨 일이든 다 할게요. 먹을 것도 조금만 주시면 돼요. 자리 하나만 내주세요, 감독님."

카파타스가 다시 마르코를 쳐다보더니 한결 누그러진 태도로 대답했다.

"자리도 없고, 우린 투쿠만으로 가는 게 아니야. 산티아고델에스테로라는 다른 도시로 간단다. 중간 어디선가 너를 내려줘야 할 텐데, 그럼 어차피 먼 길을 걸어야 해."

마르코가 소리쳤다.

"아, 걷는 건 그 두 배라도 괜찮아요! 걸을 수 있어요. 그건 걱정 안 하셔도 돼요. 어떻게든 갈 거예요. 저를 불쌍히 여겨 자리 좀 내어 주세요. 제발 저를 여기 혼자 두고 가지 마세요!"

"잘 생각해. 이 여행길은 스무 날은 걸릴 거야."

"그건 아무 상관없어요."

"힘든 여행이야."

"다 견뎌낼 거예요."

"혼자 힘으로 움직여야 할 거야."

"아무것도 두렵지 않아요. 엄마만 찾을 수 있다면요. 도와주세요!"

카파타스는 마르코의 얼굴에 전등을 비추며 유심히

쳐다보다가 말했다.

"좋아."

마르코는 그의 손에 입을 맞추었다. 카파타스가 자리를 뜨며 덧붙여 말했다.

"오늘 밤은 마차에서 자거라. 내일 4시에 깨우마. 잘 자거라."

새벽 4시가 되자 별빛을 받으며 긴 마차 행렬이 요란하게 움직이기 시작했다. 마차마다 황소 여섯 마리가 앞에서 끌고 교대할 가축들이 한 부대씩 뒤를 따랐다. 잠에서 깨어 마차에 앉았던 마르코는 밀가루 포대 위에서 이내 다시 깊은 잠에 빠져들었다.

잠에서 깼을 때 마차 행렬은 햇볕이 내리쬐는 외진 장소에 멈춰 있었다. 페오네(날품팔이 노동자)들은 모두 사등분해서 굽고 있는 송아지 고기 앞에 빙 둘러 앉아 있었다. 활활 타오르는 불이 바람에 춤을 췄다. 모두가 같이 먹고 같이 낮잠을 잔 뒤 다시 출발했다.

여행은 그렇게 병사들의 행군처럼 규칙적으로 계속

이어졌다. 매일 새벽 5시에 길을 떠났다가 9시에 멈추고, 다시 저녁 5시에 움직여 밤 10시에 멈춰 섰다. 페오네들은 말을 타고 가면서 장대로 황소들을 몰았다. 마르코는 고기 구울 불을 지피고, 가축들에게 여물을 주고, 램프를 반질 반질하게 닦고, 우물에서 마실 물을 실어 왔다.

풍경은 흐릿한 환영처럼 지나갔다. 작은 갈색 나무가 이룬 광대한 숲도, 정면이 붉은 흙벽처럼 생긴 집 몇 채가 드문드문 흩어져 있는 마을도, 어쩌면 먼 옛날 광활한 소금 호수의 바닥이었을지 모를, 눈 닿는 곳마다 소금이 하얗게 반짝이는 드넓은 땅도, 언제 어디서든 보이는 쓸쓸하

고 고요한 초원도 마찬가지였다. 아주 드물게 말을 탄 여행객 두세 명도 만났다. 뒤이어 준마 떼가 전속력으로 달려 회오리바람처럼 지나가기도 했다. 똑같은 하루하루가 바다에서처럼 끝없이 지루하게 이어졌다.

날씨는 쾌청했다. 하지만 페오네들은 날이 갈수록 까다로워져서, 마르코를 노예처럼 부려 먹었다. 소년을 위협하고 난폭하게 대하는 이들도 있었다. 모두가 마르코에게 사정없이 일을 시켰다. 커다란 사료 보따리를 지게 하고, 아주 멀리까지 보내 물을 길어 오게 했다.

마르코는 피곤에 지쳐갔지만 밤에도 잠들 수 없었다. 마차가 요동쳐서 몸이 계속 들썩였고 바퀴와 나무 굴대가 삐걱거리는 소리에 귀청이 찢어질 듯했기 때문이다. 그뿐 아니라 바람이 일면 찐득거리는 미세한 붉은 먼지가 모든 것을 뒤덮으며 마차 안과 이불 속까지 파고들어 눈과 입으로 들어가니 눈앞이 뿌옇고 숨쉬기조차 힘들었다. 고된 일과 수면 부족으로 몸이 약해졌고, 옷은 누더기가 되었다. 아침부터 밤까지 핀잔을 듣고 혹사당하느라 나날이 주눅이 들었다. 가끔 카파타스가 건넨 다정한 말마저 없었더라

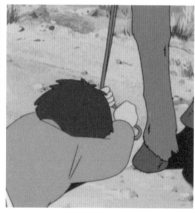

면 소년은 완전히 낙담했을 것이다.

마르코는 종종 아무도 보지 않는 마차 한구석에서 가방에 얼굴을 묻고 흐느꼈다. 점점 허약해졌고 용기가 없어졌다. 끝 모를 평원이 한없이 이어진 시골 풍경은, 지상에 펼쳐진 바다를 보는 기분이었다. 마르코는 혼잣말을 중얼거리곤 했다.

"아, 난 오늘 밤까지 버티지 못할 거야! 오늘 밤까진 힘들 거야! 오늘 길 위에서 죽고 말 거야!"

고된 일은 점점 많아졌고 페오네들의 악의도 더 심해졌다. 급기야 어느 날 아침, 카파타스가 없을 때 물을 늦게 길어 왔다는 이유로 한 남자가 마르코를 때렸다. 그 뒤로 너나 할 것 없이 툭하면 마르코를 때렸다. 일을 시킬 때도 발로 걷어차며 말했다.

"뭐 어쩔 건데, 부랑아 자식아! 엄마한테 가서 일러!"

마르코는 가슴이 미어졌다. 몸도 병들었다. 결국 사흘 동안 마차 안에 누워 이불을 덮고 열병을 앓았다. 카파타스 말고는 들여다보는 사람도 없었다. 감독은 마르코에게 자기가 마실 것들을 가져다 주고 맥박을 쟀다. 마르코는

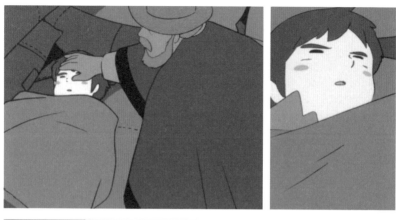

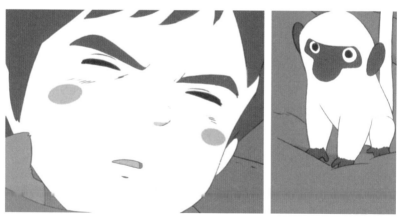

자신이 죽을 거라고 믿고 절망에 빠져서 엄마를 찾으며 수백 번도 더 불렀다.

"아아, 엄마! 엄마! 도와주세요! 나한테 와 주세요. 난 죽어가요! 아, 불쌍한 우리 엄마, 다시는 엄마를 만나지 못하겠죠! 가엾은 엄마, 날 찾으면 난 이미 길거리에 죽어 있겠지!"

그러다가 마르코는 가슴에 손을 포개고 기도했다.

다행히 카파타스의 간호 덕분에 마르코는 건강을 되찾았다. 하지만 건강과 함께 가장 끔찍한 날도 다가왔다. 홀로 남겨지는 날이었다.

로사리오를 출발한 지 2주일도 훨씬 더 지난 뒤였다. 투쿠만으로 가는 길이 산티아고델에스테로로 가는 길과 갈라지는 지점에 다다르자, 카파타스가 이제 헤어져야 한다고 말했다. 그는 마르코에게 길을 가르쳐 주고, 걷는 데 걸리적거리지 않도록 어깨에 가방에 매달아 주었다. 그러고는 슬픈 모습을 보일까 두려운 사람처럼 얼른 돌아서며 작별을 고했다. 마르코는 간신히 그의 한 팔에 입을 맞출

수 있었다. 마르코를 괴롭혔던 다른 사람들도 혼자 남은
아이의 모습이 안쓰러웠던지 멀어지며 손을 흔들었다.

마르코는 손을 흔들어 답례를 한 다음, 그 자리에 서
서 마차 행렬이 평원 위의 붉은 먼지 속으로 사라지는 모
습을 지켜보았다. 그리고 한참이 지나서야 힘겹게 발걸음
을 뗐다.

아펜니노산맥에서
안데스산맥까지

🌲 　　　그래도 딱 하나, 마르코의 마음을 조금 달래 주는 게 있었다. 무한히 펼쳐진 평원을 가로지르는 오랜 여행길 끝에, 영영 변하지 않을 것 같던 그 풍경 속에서, 아주 높고 푸른 산맥이 우뚝 솟아오른 것이다. 봉우리가 하얗게 덮인 산들을 보노라니 알프스가 생각나며 잠시나마 고향에 돌아온 기분이 들었다.

안데스산맥이었다. 남아메리카 대륙의 척추라고 불리는 이 산맥은 티에라델푸에고 섬에서부터 위도 110도인 북극의 얼음바다까지 뻗어 있었다. 대기가 점점 더 따뜻해

지는 느낌도 들어 마음이 편해졌다. 북쪽으로 올라가면서 열대 지방이 서서히 가까워진 덕분이었다.

저 멀리에 작은 집 몇 채와 상점이 옹기종기 모여 있는 게 보였다. 마르코는 그곳에서 먹을 것을 샀다. 말을 탄 남자들도 마주쳤다. 가끔은 심각한 얼굴로 바닥에 앉아 움직이지 않는 여자와 아이 들도 보였다. 마르코는 처음 보는 얼굴 생김이었다. 피부가 흙빛이고 눈은 옆으로 비스듬했으며 광대뼈가 불거져 보였다. 그들은 마르코를 빤히 쳐다보며 마르코의 걸음을 따라 눈길을 던지며 기계처럼 천천히 고개를 돌렸다. 인디언들이었다.

첫날 마르코는 힘이 다할 때까지 걷다가 나무 밑에서 잤다. 둘째 날엔 첫날만큼 걷지 못했고 용기도 한풀 꺾였다. 신발이 해져서 발에 상처가 났고, 제대로 못 먹어서 속이 아팠다. 저녁이 되자 불안해졌다. 이탈리아에 있을 때 이 지역에 뱀이 있다고 들었기 때문이었다. 뱀이 기어가는 소리가 환청처럼 들리면 쭈뼛 멈춰 섰다가 막 내달렸는데 뼛속까지 오싹했다. 어떤 때는 스스로가 너무 불쌍해서 눈물을 흘리며 걸었다. 그러다가 생각했다.

'아, 내가 겁에 질렸다는 걸 알면 엄마가 얼마나 마음 아플까!'

마르코는 다시 용기를 냈다. 두려움을 떨치려고 엄마 생각을 더 많이 했다. 엄마가 제노바를 떠날 때 하셨던 말씀과, 잠자리에 들 때 이불을 턱밑까지 덮어 주시던 모습도 떠올렸다. 아주 어릴 때 "엄마랑 조금만 이렇게 같이 있자"라고 말하며 마르코를 품에 꼭 안고 머리를 맞대고 오랫동안 앉아서 생각에 잠기시던 엄마의 모습도 기억났다.

마르코는 혼자 중얼거렸다.

"사랑하는 엄마, 엄마를 다시 만날 수 있을까요? 이 여행이 끝나는 날이 올까요, 엄마?"

마르코는 걷고 또 걸어 처음 보는 낯선 나무들과 드넓은 사탕수수 농장과 끝없이 펼쳐진 들판을 건넜다. 그러는 내내 앞에서는 푸른 안데스 산맥이 우뚝 솟은 산마루로 하늘을 가르며 따라왔다. 나흘, 닷새, 일주일이 지나갔다. 체력이 급격히 떨어졌고 발에서 피가 났다.

마침내 어느 저녁 해질 무렵, 이런 말을 들었다.

"투쿠만? 여기서 8킬로미터만 더 가면 돼."

마르코는 기쁨의 탄성을 지르고 걸음을 재촉했다. 빠져나갔던 힘이 모두 되돌아온 기분이었다. 하지만 그건 짧은 착각이었다. 흥분이 가라앉자 마르코는 갑자기 힘을 잃고 탈진해서 개울가에 쓰러졌다.

그래도 심장은 행복하게 뛰었다. 찬란한 별들이 촘촘히 흩뿌려진 하늘이 그렇게 아름다워 보인 것도 처음이었다. 마르코는 풀밭에 누워 잠을 청하며, 어쩌면 이 순간 어머니도 그 별을 보고 있을지 모르겠다는 생각이 들었다.

"아, 엄마, 어디 계세요? 지금 무엇을 하고 계세요? 아들을 생각하시나요? 마르코 생각을 하시나요? 그 마르코가 지금 엄마한테 이렇게 가까이 와 있어요."

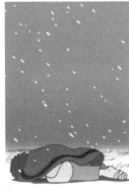

엇갈려 버린 엄마와 아들

아, 불쌍한 마르코! 만약 그 순간 엄마가 어떤 상태인지 알았다면 초인적인 힘을 발휘하여 계속 걸었을 테고 몇 시간 더 일찍 엄마에게 다다랐을 텐데.

마르코의 어머니는 메퀴네스 가족이 사는 대저택의 일층 방에서 병상에 누워 있었다. 메퀴네스 가족은 그녀를 무척 아꼈고 많은 도움을 주었다. 불쌍한 어머니는 메퀴네스 가족이 뜻하지 않게 부에노스아이레스를 떠나야 했을 때 이미 병들어 있었는데, 코르도바의 좋은 공기도 별 도움이 되지 못했다. 게다가 남편의 답장도 친척의 연락도 오지 않자 '차마 전할 수도 없을 만큼 불행한 일이 생긴 거야' 하는 불안감에 사로잡혔다. 매일같이 좋지 않은 소식이 날아들까 노심초사하면서 장거리 이사를 반복하다 보니 건강이 극도로 악화되었다. 거기에 최근 병세가 매우 심각해졌다. 탈장이었다. 그녀는 2주일 동안 침대에서 일어나지 못했다. 수술을 해야만 목숨을 살릴 수 있었다.

마르코가 어머니를 부르짖던 바로 그 순간, 주인 부부는 그녀에게 수술을 받으라고 설득하고 있었다. 어머니는 계속 거절하며 눈물을 흘렸다. 지난 주에도 투쿠만의 실력 좋은 의사가 헛걸음을 하고 갔다.

"아니에요, 주인어른. 전 이겨낼 힘이 없어요. 수술을 받다가 죽을 거예요. 차라리 이렇게 죽는 편이 나아요. 전 더 이상 삶에 미련이 없어요. 모든 게 끝났어요. 우리 가족에게 어떤 불행이 닥쳤는지 모른 채로 죽고 싶어요."

주인 부부는 어머니의 생각을 돌리려고 애썼다. 용기를 내야 한다고, 편지를 제노바로 직접 부쳤으니 곧 답장이 올 거라고, 꼭 수술을 받아야 한다고, 그게 가족을 위한

일이라고, 아이들을 봐야 하지 않겠냐고…….

하지만 아이들 이야기는 어머니를 훨씬 더 낙담시켰다. 오래전부터 아이들만 생각하면 마음이 더 무겁고 더 괴로웠다. 그녀는 두 손을 꽉 쥐며 울음을 터뜨렸다.

"오, 내 아들! 우리 아들들! 아마도 더 이상 이 세상에 없을 거예요! 저도 죽는 게 더 나아요. 감사해요, 고마우신 주인어른, 주인마님. 진심으로 감사드려요. 하지만 전 죽는 게 나아요. 수술을 해도 낫지 않을 게 분명하고요. 보살펴 주셔서 감사해요, 친절하신 주인어른, 주인마님. 의사를 다시 부르셔도 소용없어요. 전 죽고 싶어요. 여기서 죽는 게 제 운명이에요. 전 결심했어요."

"제발 그런 말 하지 말아요."

주인 부부는 다시 어머니를 위로하며, 그녀의 손을 잡고 간청했다. 하지만 어머니는 탈진한 듯 눈을 감고 잠들어 버렸다. 그 모습이 마치 죽은 사람 같았다.

주인 부부는 잠시 그 자리에 서서, 어스레한 촛불에 비친 이 존경스러운 어머니를 바라보며 측은한 마음을 금할 수가 없었다. 가족을 위해 고국 땅에서 1만 킬로미터나 떨어진 곳으로 건너와 고되고 모질게 일만 하다 죽어 가는 가여운 여인! 어머니는 아주 정직하고, 착하고, 불행한 사람이었다.

　이튿날 이른 아침, 마르코가 가방을 어깨에 메고 구부정한 자세로 절뚝거리며 투쿠만 시에 들어왔다. 투쿠만은 아르헨티나 공화국에서 가장 번창하는 신생 도시 중 하나였다. 마르코는 부에노스아이레스, 로사리오, 코르도바가 다시 펼쳐지는 기분을 느꼈다. 똑같이 곧고 끝도 없이 길

게 뻗은 거리들이며, 낮고 하얀 집들이 그랬다. 하지만 곳곳에 새로 심은 아름다운 식물들이 보였고, 향긋한 공기와 멋진 불빛, 맑고 깊은 하늘은 이탈리아에서는 본 적 없는 것들 같았다.

거리를 따라 걸으며 마르코는 부에노스아이레스에서처럼 또다시 마음이 뜨겁게 들썩이며 요동쳤다. 집집마다 대문과 창문을 빠짐없이 살펴보았고, 어머니를 만날지 모른다는 간절한 바람으로 지나가는 여자들을 한 명 한 명 다 쳐다보았다. 전부 다 붙잡고 물어보고 싶었지만 누구 하나 불러 세울 엄두가 나지 않았다.

제집 문 앞에 서 있던 사람들 역시 누더기에 먼지를 뒤집어 쓴 이 가엾은 소년을 돌아보았다. 한눈에도 아주 먼 곳에서 온 몰골이었다. 마르코는 그 얼굴들 가운데 자신 있게 다가가서 이 어마어마한 질문을 던질 수 있을 만한 사람을 찾고 있었다.

그때 이탈리아어로 이름이 적힌 여인숙 간판이 눈에 들어왔다. 안에 안경을 쓴 남자와 여자 둘이 보였다. 마르코는 천천히 문으로 다가가 용기를 끌어모아 물었다.

"아저씨, 메퀴네스 씨 가족이 어디에 사는지 아세요?"

여인숙 주인 남자가 되물었다.

"메퀴네스 기사 말이냐?"

마르코가 실가닥 같은 목소리로 대답했다.

"네, 메퀴네스 기사님요."

"메퀴네스 가족은 투쿠만에 살지 않는데……."

칼에 찔린 사람의 절망과 고통이 느껴지는 울부짖음이 말 끝에 메아리처럼 울려나왔다. 주인 남자과 여자들이 일어나고 주변에 있던 사람들도 달려왔다.

"왜 그러니? 얘야, 어디 아프니?"

여인숙 주인이 마르코를 집 안으로 데리고 들어가 앉히며 말했다.

"세상에, 그렇게 실망할 거 없어! 메퀴네스 가족은 여기 살지는 않지만, 멀지 않은 곳에 있거든. 투쿠만에서 몇 시간 걸리지 않는단다."

"어디요? 어디에요?"

마르코가 비명 같은 질문을 내지르며 다시 살아난 사람처럼 벌떡 일어났다.

"여기서 25킬로미터쯤 떨어진 마을이야. 살라디요 강가에 큰 설탕 공장을 짓고 있는 곳인데, 메퀴네스 씨 집이 거기란다. 모르는 사람이 없을걸. 몇 시간이면 갈 수 있을 거야."

"한 달 전에 내가 서기 다녀왔어요."

마르코가 울부짖는 소리에 헐레벌떡 달려왔던 한 젊은이가 말했다.

마르코는 눈을 동그랗게 뜨고 그 젊은이를 바라보다가 핏기가 가시는 얼굴로 다급하게 물었다.

"메퀴네스 씨 댁에서 일하는 가정부를 보셨어요? 이탈리아 사람이요."

"제노바에서 온 아주머니? 그래, 봤어."

마르코는 발작하듯 울음을 터뜨렸다. 웃다가 울다가 하던 마르코는 다그쳐 물었다.

"어느 쪽으로 가야 해요? 빨리요. 길 말이에요! 얼른 가야 해요. 길을 알려 주세요."

"걸어가려고? 걸어서는 하루는 걸릴 거야."

"지쳐 있잖니. 넌 쉬어야 해. 내일 출발하는 게 좋겠다,

애야."

모두들 입을 모아 말했다.

"안 돼요! 그럴 수 없어요! 어느 길로 가야 하나요? 제발 빨리 알려 주세요. 1분도 더 못 기다려요. 가다가 죽는 한이 있어도 지금 당장 갈래요!"

고집을 꺾을 수 없다는 걸 알고는 사람들도 더는 말리지 않았다.

"신이 함께하시기를! 숲길에서 길을 잃지 않게 조심해야 한다, 이탈리아 꼬마야."

한 남자가 도시를 벗어나는 곳까지 마르코를 배웅해 주었다. 길을 가르쳐 주고 몇 가지 조언도 해 준 다음, 소년이 출발하는 모습을 지켜보았다. 몇 분만에 소년은 작은 어깨에 가방을 둘러메고 다리를 절뚝이며 길가에 늘어선 울창한 나무들 뒤로 사라졌다.

그날 밤은 가엾고 아픈 여인에게 무시무시한 밤이었다. 어머니는 끔찍한 통증에 시달리느라 혈관이 터질 정도로 비명을 질러댔고 가끔씩 헛소리도 지껄였다. 간호하던 여자들도 당황해서 어쩔 줄 몰라 했다. 환자는 정신을 가누지 못했다. 주인마님이 한 번씩 놀라서 뛰어 들어왔다.

'수술을 받겠다고 결심을 한다고 해도 내일에서야 의사가 올 텐데, 그러면 너무 늦는 게 아닐까?'

모두들 걱정하기 시작했다. 하지만 봄부림이 잦아드는 순간이 오면, 그녀에게 가장 끔찍한 고통은 육체의 아픔이 아니라 멀리 떨어진 가족을 걱정하고 그리워하는 마음에서 온다는 사실을 누구나 알 수 있었다. 수척할 대로 수척해져 얼굴마저 변해 버린 어머니는 손으로 머리칼을 헤집으며 절망적으로 소리쳤다.

"하느님! 하느님! 이렇게 멀리서 죽는 건가요. 다시 만나지 못하고 죽는 건가요! 내 불쌍한 아이들. 엄마 없이 살아갈 가엾은 내 아가들! 우리 마르코는 아직 어려서 요만큼밖에 안 크지만, 정말 착하고 다정한 아이에요! 그 애가 어떤 아이인지 모르실 거예요, 마님! 제노바를 떠날 때 그 애를 목에서 떼어 놓기가 힘들었어요. 가엾게도 엉엉 소리 내 울었는데…… 흐느껴 울었어요. 마치 이 부족한 엄마를 다시 만날 수 없다는 걸 아는 것처럼요.

불쌍한 마르코, 가여운 내 아가! 가슴이 찢어질 것만 같았어요! 아, 그때 죽었더라면. 작별인사를 할 때, 그때 죽었더라면! 아, 차라리 그때 그렇게 죽었더라면! 엄마도 없이, 불쌍한 아이, 날 그렇게 사랑했는데, 나를 그토록 필요로 했는데! 엄마가 없으면, 비참하게 살면서 구걸밖에 할 수 없을 거예요! 마르코가, 우리 마르코가 굶주린 손을 내밀 거예요!

오, 하느님! 안 돼요! 난 죽지 않을래! 의사 선생님! 당장 의사 선생님을 불러줘요! 어서 와서 내 몸을 가르라고 해요. 내 가슴을 갈라도 되고 내가 미쳐 버려도 좋아요. 살

려만 주세요! 전 낫고 싶어요. 살고 싶어요. 떠나고 싶어요. 내일 당장 돌아갈래요, 내일 당장! 의사 선생님! 도와주세요! 도와주세요!"

여자들이 어머니의 손을 꽉 붙잡고 진정시켰다. 스스로 마음을 가라앉히도록 하느님과 희망에 대하여 이야기해 주었다. 어머니는 다시 우울의 나락으로 침잠하여 희끗한 머리카락을 움켜잡고 눈물을 흘리며 어린 아기처럼 칭얼댔다. 탄식을 내뱉다가 이따금 중얼거리기도 했다.

"오, 나의 제노바! 우리 집! 저 바다! 오, 우리 마르코, 불쌍한 우리 마르코! 지금 어디 있니, 불쌍한 내 아가?"

자정이었다. 엄마의 불쌍한 마르코는 개울가를 따라 몇 시간을 걸은 끝에 탈진 상태가 되어 거대한 나무들이 우거진 숲을 지나고 있었다. 괴물 같은 형상들이었다. 대성당의 기둥처럼 육중한 줄기에, 꼭대기에선 굵게 뻗은 가지들이 서로 얽혀서는, 은은한 달빛 아래 어마어마한 높이로 우뚝 솟아 있었다.

어두침침한 숲속에서 온갖 모양의 나무들이 언뜻언뜻

눈에 들어왔다. 똑바로 곧게 선 나무도 있고, 비스듬히 누운 나무도 있고, 뒤틀린 나무도 있었다. 위협하거나 싸우는 듯한 이상한 자세로 서로 걸쳐진 나무들도 있었다. 어떤 나무는 통째로 넘어진 탑처럼 바닥에 쓰러져 있는데, 그 위를 빽빽하고 어지러이 뒤덮은 풀들이 흡사 땅뙈기를 차지하려고 다투는 성난 군중 같았다. 어떤 나무들은 무리를 이루어 위아래로 죽죽 뻗어 올랐다. 마치 꼭대기가 구름에 닿을 듯이 거대한 창들을 묶어 놓은 전리품 같은 모습이었다. 더없이 웅장하고, 놀랄 만큼 무질서하며, 자연 상태의 식물이 선사하는 것이라고는 믿기지 않을 만큼 장엄하고도 오싹한 광경이었다.

마르코는 지친 몸과 피 흘리는 발을 이끌고 무시무시한 숲속 한복판을 홀로 걸었다. 사람이 사는 오두막집도 좀처럼 나타나지 않았다. 나무들 밑에 개미집처럼 생긴 흙무더기가 쌓여 있고, 길가에 잠든 들소들이 몇 마리 보일 뿐이었다.

너무나 피곤해서 정신이 혼미해지는 순간들도 있었다. 하지만 마음은 곧 엄마가 있는 곳을 향해 다시금 달려

갔다. 마르코는 기진맥진했지만 자신이 피곤하다는 걸 자각하지 못했다. 혼자였지만 두렵지도 않았다. 숲은 웅장한 자태로 마르코를 당당하게 만들었다. 엄마가 가까이 있다는 생각에 남자다운 배짱과 힘도 솟아났다. 바다를 건넜던 기억, 놀랍고 고통스러운 일을 당하고 이겨낸 기억, 고된 노동을 견뎌낸 기억, 무쇠 같은 의지를 벼렸던 기억들 덕에 마르코는 고개를 꼿꼿이 치켜들었다. 강인하고 고귀한 제노바인의 피가 기쁨과 대담함을 싣고 뜨겁게 질주하여 다시 마르코의 심장으로 흘러들었다.

그리고 마음속에서 새로운 일이 벌어졌다. 2년 동안 헤어져 있으면서 흐릿하고 어렴풋해졌던 엄마의 모습이 그 순간 선명하게 되살아난 것이었다. 오랫동안 보지 못했던 엄마의 얼굴이 완전하고 분명하게 다시 보였다. 마르코는 엄마의 모습을 꼭 붙들었다. 그러자 그 모습이 밝게 빛났고, 마르코에게 말을 건넸다. 엄마의 눈과 입술에 순간적으로 머물다가 사라지는 표정들까지 보였고, 엄마의 모든 자세와 엄마가 지닌 생각의 음영들을 모두 보았다.

마르코는 이 생생한 기억들에 힘을 얻어서 발걸음을

재촉했다. 새로운 사랑, 말로 다 할 수 없는 애정이 점점 더 크게 자라났다. 뭉클한 눈물이 조용히 얼굴을 타고 흘러내렸다. 어둑한 숲길을 걸으면서 마르코는 엄마에게 말했다. 엄마를 만나면 귓가에 소곤대고 싶은 말들이었다.

"내가 왔어요, 엄마. 자, 봐요. 다시는 엄마를 떠나지 않을 거예요. 집으로 같이 돌아가요. 배에서도 엄마 옆을 떠나지 않을 거예요. 엄마 옆에 꼭 붙어 있을 게요. 다시는 아무도 엄마와 나를 떼어 놓지 못해요. 어느 누구도, 두 번 다시는, 내가 살아 있는 한은요!"

그러는 동안 마르코가 깨닫지 못하는 사이에 은은한 달빛이 거대한 나무 우듬지 위로 사라지고 뽀얗고 여린 동이 터 오고 있었다.

작은 영웅

그날 아침 8시, 아르헨티나인인 투쿠만의 젊은 의사는 자신의 조수와 함께 이미 병자 옆에 서서, 수술을 받도록 마지막 설득을 다 하고 있었다. 메퀴네스 부부도 간절한 마음으로 설득을 도왔다. 하지만 아무 소용이 없었다. 기력이 다했다고 여긴 어머니는 수술로 나을 수 있다는 말을 전혀 믿지 않았다. 수술을 받다가 죽거나 죽음보다 더 끔찍한 고통에 무의미하게 시달리다 고작 몇 시간 더 연명하는 게 다일 거라고 철석같이 믿었다.

"안전한 수술이에요. 낭신은 무사할 거예요. 조금만

용기를 내요! 수술을 거부하는 건 죽겠다는 소리잖아요!"

의사는 다시 한 번 어머니를 설득했다. 하지만 하나마나 한 말들이었다. 병자는 힘없이 대답했다.

"아뇨. 전 아직 죽을 용기는 있지만, 더 이상 쓸데없이 고통 받을 자신은 없어요. 제가 편안히 눈 감을 수 있게 해 주세요."

의사는 낙담하여 더 이상 말하지 않았다. 아무도 입을 열지 못했다. 그때 어머니가 주인마님을 돌아보더니 사그라지는 목소리로 마지막 소원을 말했다. 심하게 흐느껴 우느라고 간신히 말을 이었다.

"마님, 얼마 안 되지만 이 돈과 제 보잘것없는 물건들을 부디 제 가족에게 보내 주세요…… 영사님 편으로요. 다들 무사히 살아 있으면 좋겠는데…… 얼마 전부터 좋은 예감이 들었거든요. 제 가족에게 편지를 써 주세요…… 제가 늘 식구들을 생각했다고, 가족을 위해…… 아이들을 위해 열심히 일했고, 식구들을 다시 보지 못하는 것이 유일한 슬픔이었다고…… 하지만 용기 있게 죽었다고…… 다 받아들이고…… 우리 가족을 축복했다고. 그리고 남편하고…… 큰아들한테…… 우리 막내, 불쌍한 마르코를……
부탁한다고…… 마지막 순간까지 내가 그 아이를 생각했
다고…….”

어머니는 갑자기 흥분한 듯 허공에서 두 손을 맞잡으
며 외쳤다.

“우리 마르코, 아가, 내 아가! 내 생명! 아아…….”

그녀는 눈물이 그렁그렁한 눈으로 주변을 둘러보다가 문득 주인마님이 그 자리에 없다는 사실을 깨달았다. 밖으로 몰래 불려나간 것이었다. 그녀는 눈으로 주인어른을 찾았다. 주인도 사라지고 없었다. 곁에는 간호사 두 명과 조수뿐이었다. 옆방에서 분주히 움직이는 발소리와 한껏 낮춘 목소리로 다급하게 소곤대는 소리가 들렸다. 숨 죽여 지르는 탄성도 들렸다. 어머니는 눈물이 글썽글썽한 눈으로 방문을 빤히 쳐다보았다.

몇 분 후 의사가 평소와 사뭇 다른 얼굴로 들어왔다. 뒤따라 들어온 주인 부부의 표정 역시 달라져 있었다. 세 사람 모두 이상한 표정으로 어머니를 뚫어지게 쳐다보다가, 낮은 목소리로 자기들끼리 몇 마디를 나누었다. 의사가 주인마님에게 "지금 바로 하죠"라고 말하는 것 같았다. 어머니는 알아들을 수가 없었다.

주인마님이 입을 열었다. 목소리가 떨리고 있었다.

"조세파, 당신한테 기쁜 소식이 있어요. 마음의 준비를 해요."

어머니는 주인마님을 유심히 살폈다. 주인마님이 한

층 더 흥분해서 말을 이었다.

"이 소식을 들으면 당신은 정말 기뻐할 거예요."

어머니가 눈을 크게 떴다.

"마음 단단히 먹어요. 어떤 사람을 만나게 될 거예요. 당신이 아주 사랑하는 사람이요."

어머니는 갑자기 고개를 획 들고, 눈을 빛내며 주인마님과 문을 번갈아 쳐다보았다.

주인마님의 얼굴이 환해졌다.

"지금 막 도착했어요. 생각지도 못한 사람이."

어머니가 조급하게 소리쳤다.

"누구요?"

목이 메어서 이상한 소리가 났다. 겁을 먹은 목소리 같기도 했다.

잠시 후, 그녀는 날카로운 비명을 지르며 침대에서 벌떡 일어나 앉았다. 그리고 유령이라도 본 사람처럼 미동도 없이 앉아 눈만 동그랗게 뜨고 있다가 두 손으로 양쪽 관자놀이를 감쌌다.

누더기를 걸치고 먼지를 뒤집어쓴 마르코가 문 앞에

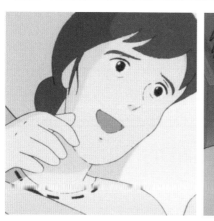

서 있었다. 의사가 한쪽 팔을 부축하고 있었다.

어머니는 세 마디 비명을 질렀다.

"하느님! 하느님! 오, 하느님!"

마르코는 앞으로 달려들었다. 어머니는 여윈 팔을 뻗어 호랑이 같은 힘으로 아들을 꽉 끌어안았다. 그리고 갑자기 격한 웃음을 터뜨렸다가 이내 마른 눈으로 흐느껴 울기 시작했다. 그러다가 숨이 막혀 다시 침대에 쓰러져 누웠다.

하지만 금세 기운을 차리고는 기뻐서 어쩔 줄 몰라 하며 마르코의 머리에 입맞춤을 퍼붓고 비명을 질러댔다.

"여긴 어떻게 왔니? 왜 온 거야? 진짜 너니? 정말 많이 컸구나! 누가 데려다줬어? 너 혼자야? 아픈 데는 없고? 마르코구나! 꿈이 아니야! 세상에! 말을 좀 해 보렴!"

그러다가 갑자기 말투가 바뀌었다.

"아니야! 아무 말 하지 마! 잠깐만!"

어머니가 의사를 돌아보며 채근했다.

"빨리요, 선생님! 어서요! 건강해지고 싶어요. 전 준비 됐어요. 1분이라도 빨리요. 마르코가 듣지 않도록 데리고

나가 주세요. 마르코, 내 아가, 아무것도 아니야. 나중에 다 말해 줄게. 엄마에게 한 번 더 입을 맞춰다오. 자, 됐다, 이 제 가거라! 다 됐어요, 선생님."

사람들이 마르코를 데리고 방에서 나갔다. 주인어른 과 주인마님과 간병하던 여자들도 서둘러 밖으로 나갔다. 방에 남아 있던 의사와 조수가 문을 닫았다.

메퀴네스 씨는 마르코를 더 멀리 떨어진 방으로 데려 가려고 했지만 그럴 수 없었다. 마르코의 발이 마치 바닥 에 붙어 버린 것 같았다.

"무슨 일이에요? 우리 엄마한테 무슨 일 있어요? 엄마 한테 뭘 하려는 거예요?"

메퀴네스 씨가 계속 마르코를 다른 곳으로 데려가려 고 애쓰며 조용히 말했다.

"자, 얘야, 들어보렴. 내가 말해 주마. 네 어머니가 아 프셔서 간단한 수술을 받아야 한단다. 전부 다 설명해 줄 테니 나와 같이 가자."

"싫어요. 여기 있고 싶어요. 여기 있을래요. 여기서 설명해 주세요."

마르코가 고집을 부렸다.

메퀴네스 씨는 차분히 말을 이어가며 마르코를 점점 방에서 멀어지게 했다. 마르코는 무서워하며 몸을 떨기 시작했다.

별안간 치명적인 상처를 입은 사람이 내지르는 듯한 날카로운 비명 소리가 온 집 안을 울렸다. 마르코가 절망적으로 비명을 질렀다.

"엄마가 돌아가셨어!"

그때, 의사가 문을 열고 나오더니 말했다.

"네 어머니는 무사하시단다."

마르코는 잠시 멍하니 멈춰 서서 의사를 빤히 쳐다보다가, 그의 발치에 쓰러지며 엉엉 울었다.

"고맙습니다, 선생님!"

의사가 마르코를 일으켜 세우며 말했다.

"일어나렴. 네 덕이야. 꼬마 영웅, 네가 어머니를 구했단다!"

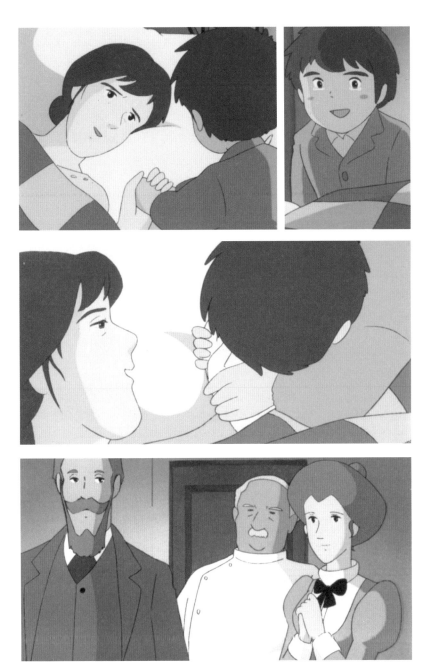

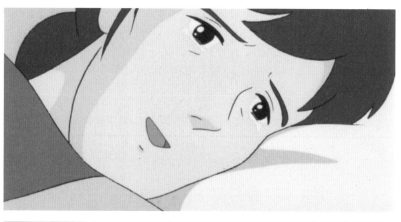

작품 해설

고국 이탈리아를 사랑하는 마음으로 써 내려간
〈아펜니노산맥에서 안데스산맥까지〉

　1982년 방영된 TV만화영화 〈엄마 찾아 삼만 리〉가 얼마나 인기가 있었던지, 우리는 아직까지도 어릴 때 헤어진 부모를 찾거나 머나먼 타향에서 가족을 찾아가는 서사에는 영락없이 "완전히 엄마 찾아 삼만 리네!"라는 식의 비유를 붙인다. 그런데 이 작품에 원제가 따로 있다는 사실을 아는 이는 드물다. 이탈리아 작가 에드몬도 데 아미치스가 1886년에 쓴 책 《쿠오레(il Cuore)》에 들어 있는 짧은 글 〈아펜니노산맥에서 안데스산맥까지〉가 원작이다. (쿠오레는 '마음'이라는 뜻의 이탈리아어다.)

　《쿠오레》는 초등학교 4학년생 엔리코의 학교 생활 1년, 그러니까 새학기 첫날(10월 17일)부터 이듬해 종업식 날(7월 10일)까지의 이야기를 엔리코의 일기글, 부모님의 편지글, 선생님의 '이달의 이야기', 역사 인물 소개글 등 여러 형식의 단문들로 풀어낸 소설이다. 엔리코가 우정, 갈등, 희망, 배려, 기쁨, 슬픔, 애국심 등의 다양한 '마음'을 배우며 성장해 가는 모습을 그렸다.

그런데 여기서 '이달의 이야기'라는 부분이 독특하다. 책이 귀하던 시대였기에 선생님이 학생들에게 읽기 자료로 내주는 '받아쓰기' 글로, 주인공 엔리고와는 완전히 별개의 이야기이기 때문이다. 여기에 '5월의 이야기'로 소개된 것이 〈아펜니노산맥에서 안데스산맥까지〉다.

13세의 제노바 소년 마르코가 소식이 끊긴 엄마를 찾아 홀로 배를 타고 대서양을 건너 남아메리카의 아르헨티나를 찾아간다는 내용이다. 아펜니노산맥은 이탈리아반도의 대표 지형이고, 안데스산맥 또한 대륙을 끝에서 끝까지 관통하는 '남아메리카의 척추'이니(자그마치 7개국을 관통하는, 세계에서 가장 긴 산맥), 소년 마르코의 파란만장한 모험이 한눈에 파노라마처럼 펼쳐져 보이는 듯한 제목이다.

"아이부터 어른까지 모든 세대가 추구해야 할 사랑, 친절, 선의 등에 대해 썼다"는 작가의 말처럼, '이탈리아'가 건국(1870년)되고 15년쯤 지나서 발표된 《쿠오레》를 이탈리아의 모든 가정에서 성서처럼 두고 읽었다. 칼라브리아에서 전학 온 소년과 토리노 소년들의 갈등과 화해, 중산층인 엔리코의 아버지가 귀족 계층과 노동자 계층 각자의 사정을 이해하라고 타이르는 모습 등은 매우 교훈적이었고, 특히 '하나의 이탈리아'로 거듭나기 위해 꼭 필요한

덕목이었기 때문이다.

〈아펜니노산맥에서 안데스산맥까지〉도 이역만리에서 절망에 빠진 마르코를 합심해서 도와주는 이탈리아 이민자들처럼, 지역주의를 벗어나 하나의 이탈리아인이 되자는 교훈을 계속 강조한다. 또한 당시 정치적 혼란과 경제적 빈곤 때문에 해외로, 특히 아메리카로 떠난 수많은 이민자들과 그 가정의 모습이 사실적으로 담긴 역사물로도 읽힌다.

그런데 1976년 니폰애니메이션 사의 TV만화영화로 제작될 때 '엄마와 아들, 가족의 끈끈한 사랑'이라는 보편적 감성에 맞춰 각색되면서 〈엄마 찾아 3천 리〉라는 제목으로 바뀌었다. 이것이 다시 우리나라에 소개될 때, '리'의 길이가 한일간에 10배 차이가 나는 점을 감안해서 〈엄마 찾아 3만 리〉가 되었다. (도요토미 히데요시 집권기에 10리를 '1리'로 환산하는 개혁을 단행했다고 한다.)

저자인 에드몬도 데 아미치스는 1846년 리구리아주의 해안도시 임페리아에 있는 마을 '오네글리아'에서 태어났다. '하나의 이탈리아를 세우자'는 열망이 끓어오르던 시기였고, 급기야 1848년 이탈리아 독립전쟁이 시작되었다. 이런 분위기에서 자랐기에 아미치스도 자연스럽게 모데나 육군사관학교를 지원했고 포병대 소속의 군인으로 직접 전쟁에 참가했다.

그는 한편으로 글쓰기를 좋아해서 전장에서 틈틈이 〈군대 생활〉 (1868년)을 썼고, 이탈리아 통일이 완성되자 〈추억들〉(1872년)을. 이후 신문사 특파원으로 지낸 경험으로 기행문 〈스페인〉, 〈모로

코), 〈파리의 추억〉 등을 냈다. 그러다가 1886년 자신의 모든 경험과 생각을 응축시킨 《쿠오레》를 발표한 것이다.

긴 장화 모양의 이탈리아반도에서는 '캄파닐리스모(교회 종탑이 보이는 거리의 사람들끼리만 하나의 공동체라고 느끼는 경향)'가 강력한 데다가 외세(프랑스, 오스트리아, 스페인)의 지배가 수백 년을 이어져 왔기에, 외세로부터의 독립과 이탈리아반도 전체의 통일이라는 두 가지 힘든 과제가 있었다. 오랜 노력 끝에 정치적 통일은 이뤄냈지만 마음으로 하나의 이탈리아가 되기까지는 아직도 요원했다. 이에 자라나는 어린 세대들에게 들려주려고 쓴 작품이 《쿠오레》다. 이런 배경을 알고 읽으면, 비슷하게 아픈 우리나라의 역사가 겹쳐지며 더 깊이 공감할 수 있을 것이다.

옮긴이 박혜원

심리학을 전공했고, 현재는 전문번역가로 활동 중이다. 《퀸 (40주년 공식 컬렉션)》, 《브라이언 메이 레드 스페셜》, 《곰돌이 푸1 : 위니 더 푸》, 《곰돌이 푸2 : 푸 모퉁이에 있는 집》, 《빨강 머리 앤》, 《에이번리의 앤》, 《레드먼드의 앤》, 《이매지닝 앤》, 《소공녀 세라》, 《시크릿 가든》 등을 번역했다.

엄마찾아 삼만 리

초판 1쇄   2021년 3월 1일

지은이   에드몬도 데 아미치스
옮긴이   박혜원

펴낸곳   더모던
전화   02-3141-4421
팩스   02-3141-4428
등록   2012년 3월 16일(제313-2012-81호)
주소   서울시 마포구 성미산로32길 12, 2층 (우 03983)
전자우편   sanhonjinju@naver.com
카페   cafe.naver.com/mirbookcompany

ISBN 979-11-6445-448-8   03880